afgeschreven

WAAROM BEN IK IK?

Manfred Frank

Waarom ben ik ik?

Een vraag voor kinderen en volwassenen

SCRIPTUM FILOSOFIE

Voor Gabriel Zanetti

Oorspronkelijke titel *Warum bin ich Ich? Eine Frage für Kinder und Erwachsene*

Afbeeldingen Atrium Verlag, Zürich: 36/37, 38, 40, 41, 42
Ted Dewan, Londen: 33 • Hergé / Moulinsart 2006: 44/45
Uit: Mira Lobe, Susanne Weigel: Das kleine Ich bin ich © 1972
Verlag Jungbrunnen, Wenen: 47, 48/49, 50/51, 52/53, 54/55, 56/57, 59

Vertaling Bert Niks
Grafische vormgeving binnenwerk www.igraph.be

ISBN 978 90 5594 677 8 | NUR 734 Praktische Filosofie

WWW.SCRIPTUM.NL

Kinderen vragen, heel onbevangen, altijd maar weer: waarom?

Verstandige mensen doen dat
niet meer. Die weten al lang dat elk waarom alleen maar het uiteinde is
van een draadje dat uitloopt in de
dikke kluwen van de oneindigheid.
En daar komt niemand uit, hoe je
ook probeert om de draad netjes
op te rollen.

❋ *Wilhelm Busch* [1]

1 Achter in dit boek staan de bronnen die ik heb gebruikt.

Toen het kind nog kind was, was het de tijd voor de volgende vragen.

Waarom ben ik Ik,
en niet jij?
Waarom ben ik hier
en waarom niet daar?
Wanneer begon de tijd
en waar eindigt de ruimte?
Is het leven onder de zon
niet gewoon een droom?
Is alles wat ik zie en hoor en ruik
niet gewoon maar een droomwereld,
een wereld vóór een wereld?
Bestaat het kwaad echt,
en zijn er werkelijk slechte mensen?
Hoe kan het dat ik, wie ik ben,
er eerst niet was,
en dat ik, wie ik ben,
ooit niet meer zal zijn
wie ik nu ben?

Peter Handke

Een woordje vooraf

Beste allemaal,

Vóórdat het boek echt begint, wil ik graag even iets uitleggen. De tekst die jullie dadelijk gaan lezen – dat hoop ik tenminste – was een bijdrage aan de zogenaamde Tübinger Kinder-Uni (Kinderuniversiteit) in Duitsland. Het ging om een test om uit te vissen of de mannelijke en vrouwelijke professoren van de universiteit nu echt van die saaie pieten zijn, of dat ze het voor schoolkinderen van een jaar of 7 tot 12, elke week op dinsdag, steeds maar weer leuk konden maken.

Nou, ik kan je vertellen: de professoren van Tübingen zijn prima uit die test gekomen. Soms zaten er wel 1.300 kinderen in de tjokvolle collegezalen. Hun ouders zaten allemaal in andere collegezalen. Dat was goed, want de antwoorden van de professoren op de vragen van de kinderen waren niet voor hun oren bedoeld. De antwoorden dus op al die waaromvragen, die kinderen zo graag en vaak stellen. Ik bedoel niet dat de volwassen mensen alle antwoorden al wisten. Nee hoor, die hebben in de loop van hun leven – dat leven met veel gedoe – steeds meer afgeleerd om belangrijke vragen te stellen (aan het begin van dit boek staat dat precies, en ook een beetje triest in het citaat uit 'De vlinder' van Wilhelm Busch). De colleges voor kinderen gaan in Tübingen nog steeds door.

Maar wat er allemaal aan aardigs valt te lezen in de boeken van de Kinderuniversiteit, lijkt niet echt op wat de professoren allemaal verteld hebben. Twee slimme journalisten – een mannetje en een vrouwtje – hebben dat op eigen houtje opgeschreven. Dat hebben ze prima gedaan, hoor. Maar veel kinderen wilden de tekst lezen van wat ik echt heb verteld. Ook zien ze graag de leuke plaatjes, die ik er met veel plezier speciaal bij heb gezocht. En zo werd er vaak aan mij gevraagd om het kindercollege nog eens te geven. En uiteindelijk heb ik – met de prettige medewerking van een uitgeverij – besloten om een boekje te maken van mijn verhaal.

Bij de kindercolleges in Tübingen hebben andere professoren vóór mij al antwoord gegeven op jullie waaromvragen. Iedereen natuurlijk vanuit zijn of haar eigen vak. Zo heeft een oudheidsdeskundige uitgelegd *waarom* de dinosaurussen zijn uitgestorven; *omdat* er misschien een reusachtige meteoriet op aarde is ingeslagen, waardoor de dinosaurussen in dat verstoorde klimaat niet meer verder konden leven. Een astronoom (sterrenkundige) heeft verklaard *waarom* de sterren niet uit de hemel vallen; *omdat* de andere sterren te ver weg zijn om door de zwaartekracht van hun plaats te komen. Nog één, wat lastiger: *waarom* lachen wij? Een aardig antwoord: *omdat* we door iets gespannen worden, wat dan zomaar in de lucht oplost. Dat zei de grote filosoof Immanuel Kant ongeveer 215 jaar geleden (in paragraaf 51 van zijn boek 'Kritik der Urteilskraft').

WAAROM LACHEN WIJ?

Een voorbeeldje om aan te geven dat hij echt gelijk had: Lummel komt terug van een safari in Afrika. Pummel vraagt hem: 'Hoeveel leeuwen heb je doodgeschoten?' Lummel antwoordt: 'Niet één.' Pummel zegt: 'Hoezo, niet één?' Lummel: 'Voor leeuwen is dat veel, hoor!'

Een stuk moeilijker: *Waarom* gaan wij dood? Eigenlijk willen we niet horen waarom ons lichaam door de natuur zo zwakjes is gemaakt, maar waarom het uiteindelijk zo met ons moet aflopen.

Door deze voorbeelden zien we het volgende: we moeten verschil maken tussen twee soorten waaromvragen. Met de ene vraag willen we achter een oorzaak komen. De dinosaurussen zijn uitgestorven *omdat* er een reusachtige meteoriet op aarde is ingeslagen, waardoor de reuzenhagedissen in dat klimaat niet meer konden overleven. Vulkanen roken *omdat* de aarde vanuit de lagen onder de aardkorst hete lavamassa's uitstoot; de vloeistof in die massa's verdampt en condenseert dan in de koelere lucht. Maar vragen zoals 'Waarom moeten wij sterven' zijn eigenlijk geen waaromvragen. We vragen dan niet naar een oorzaak, maar: Waartoe zit de wereld nu zo in elkaar, dat er van dieren en mensen zo iets vreselijks wordt gevraagd? Dan hebben we het even niet over de biologische oorzaak. Een waartoevraag is bijvoorbeeld ook: 'Waarom is er eigenlijk iets, waarom is er niet gewoon niets?'

Of: 'Waarom mogen wij niet liegen'?, of: 'Waarom zijn wij allemaal ikken'? Al die vragen kunnen we niet beantwoorden door gewoon een oorzaak aan te geven.

Dat zijn namelijk filosofische vragen. En op filosofische vragen zijn eigenlijk nooit – of bijna nooit – kant-en-klare antwoorden te geven. Weet je wat filosofen zijn? Dat zijn wetenschappers die, ook nu ze groot zijn, nog steeds wel eens kindervragen stellen. Van het stellen van vragen hebben ze hun beroep gemaakt. Ze stellen – onder andere – vooral waartoevragen. Een voorbeeld: 'Waarom is iets wat er is, eigenlijk goed?'

WAAROM MOGEN WIJ NIET LIEGEN?

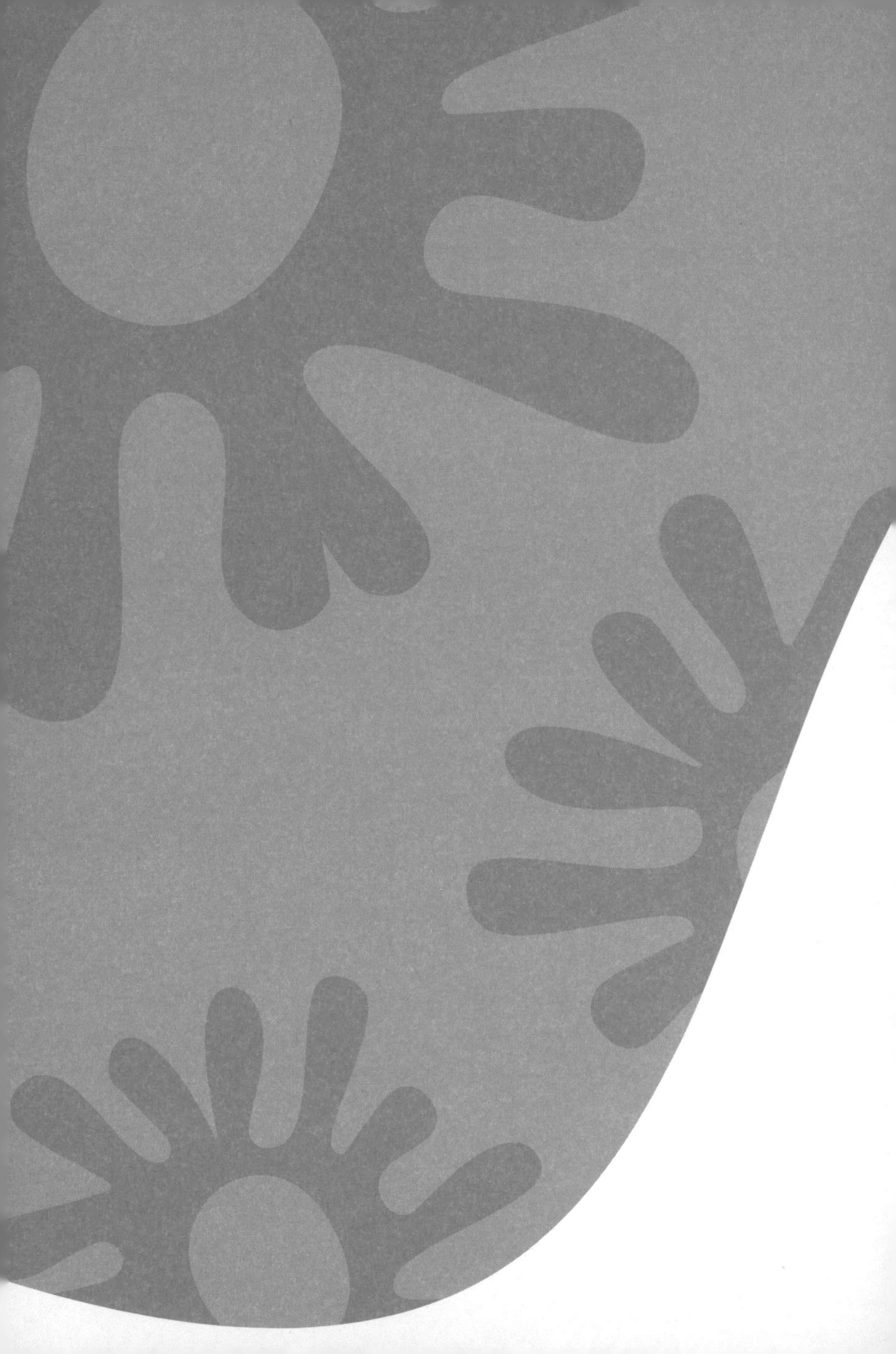

Waarom ben ik Ik?

Goed, laten we maar eens beginnen. De typisch filosofische vraag die ik graag voor jullie wil beantwoorden, is: *Waarom ben ik Ik?* Sommigen van jullie zullen misschien, net zoals Sproet (in 'Sproet in gevaar') zeggen: 'Wat een domme vraag, wat een oliedomme vraag!'

'Wat zou ik dan anders zijn, als ik niet Ik was?', vragen anderen misschien. Daarmee bedoelen ze waarschijnlijk: Het heeft toch helemaal geen zin om te vragen waarom ik Ik ben.

Maar, nu we toch bij de 'waaromvragen' zijn: waarom heeft dat geen zin? Het kan toch best zijn dat ik, Manfred Frank, helemaal niet was geboren als mijn ouders elkaar niet toevallig hadden leren kennen (of niet met succes met elkaar hadden gevreeën). Dan zou ik er helemaal niet zijn geweest;

en dus ook niet de Ik die ik ben. Het had natuurlijk ook gekund dat mijn moeder (die dan natuurlijk niet *mijn* moeder was geworden) een andere man had leren kennen, en niet mijn vader (die je dan natuurlijk ook weer niet mijn vader zou kunnen noemen). Dan zou deze andere man met mijn moeder, een andere jongen (of misschien een meisje) hebben gekregen. En ook weer niet mij. En ook die andere jongen, of dat andere meisje, zou zichzelf 'ik' noemen.
En toch zouden ze niet mij zijn, dus niet Manfred Frank. Een grappige gedachte.

BEN IK NU WERKELIJK MANFRED FRANK?

Maar ben *ik* nu werkelijk Manfred Frank? Het zou toch ook kunnen dat het kind van mijn moeder en een andere vader ook de naam Manfred Frank had gekregen (want vaders die Frank als achternaam hebben, daar zijn er in Duitsland heel veel van).

Het zou zelfs kunnen dat ik wel ben geboren als echte zoon van mijn ouders, maar dat mijn moeder was afgeleid door de regen van bommen die precies op dat moment op de kraamafdeling van het Wuppertaler Landesfrauen ziekenhuis viel. Dokters en verpleegsters renden schreeuwend door elkaar en probeerden zichzelf te redden. Dan valt te begrijpen dat mijn moeder toen niet goed heeft opgelet en misschien kreeg ik toen wel een verkeerd naambandje om mijn pols. Misschien stond daarop wel 'Manfred Frank'. Maar in werkelijkheid was ik het kind van een andere moeder, die ook Frank heette (Frank is immers – zoals ik al zei – een achternaam die veel voorkomt; misschien heetten er nog wel een paar moeders Frank en misschien heette een andere jongen zelfs ook nog Manfred, een modenaam in die tijd). Ook de verloskundigen en verpleegsters waren in paniek en hadden tijdens het luchtalarm in de schuilkelder wel iets anders aan hun hoofd dan te letten op mijn naambandje.

En zo ben ik misschien wel opgegroeid bij een moeder die Marianne Frank heette en die ten onrechte dacht dat ik haar kind was.

Maar: als ik nu eens niet echt Manfred Frank ben, maar per ongeluk aan deze naam ben gekomen, ben ik dan niet meer Ik? En jij, als iemand je bij de geboorte heeft verwisseld met een andere baby en je moeder heeft dat niet gemerkt, zou je dan toch niet precies zijn wat je nu ook bent? En zou je niet net zo goed 'ik' tegen jezelf zeggen als je dat nu doet? Als je iets over jezelf zegt (bijvoorbeeld '*ik* heb oorpijn', '*mijn* schooltas is te zwaar', 'ik voel *me* rot' of 'dat gaat *mij* toch niets aan'), dan gebruik je steeds een woord uit de serie 'ik, mijn, me, mij'. Dat zijn allemaal voornaamwoorden in de eerste persoon enkelvoud. Een persoonlijk voornaamwoord verwijst naar een *persoon*. En ik ben altijd de eerste persoon; ik ben altijd in m'n eentje. (Hoewel we dadelijk zullen zien dat er geestelijke afwijkingen voorkomen waarbij de patiënten dat níet zo ervaren; ze merken bijvoorbeeld dat ze gedachten van iemand anders krijgen, of dat ze zijn gesplitst in verschillende persoonlijkheden.)

WIJ KUNNEN NAAR ONSZELF VERWIJZEN

Wij verwijzen dus altijd naar onszelf – ongeveer vanaf tweejarige leeftijd – met het voornaamwoord in de eerste persoon enkelvoud. Jullie kennen dat wel van de grammaticalessen. Zo staat het voornaamwoord 'ik', als *ik* het gebruik, *voor* de persoon 'Manfred Frank'.

Maar als *jij* over *jezelf* praat, dan zeg je ook 'ik' en bedoel je altijd jezelf, en zeker niet mij. Dat is allemaal behoorlijk verwarrend. Stel nu eens dat ik, terwijl ik dit schrijf, uit mijn raam kijk en tegen mezelf zeg: 'Ha, daar zie ik eindelijk de eksters weer die een keer een nest hebben gebouwd in onze tuin.' Nu vraag ik aan een van jullie: 'Wat heb ik net gezegd?', en die zegt dan: 'Ik zie de oude ekster weer.' Dan heeft diegene zo ongeveer herhaald wat ik inderdaad heb gezegd. Maar de zin klopt nu niet meer. Het is net alsof een papegaai 'm zomaar napraat. Want *ik* heb de eksters immers weer herkend, niet *jullie* (en zeker niet de papegaai). Of, als ik jullie vraag: 'Begrijpen jullie eigenlijk wat ik jullie wil uitleggen?', en jullie antwoorden dan: 'Tot nu toe heb ik nog niet veel begrepen!', dan zeggen jullie iets heel anders dan ik, met mijn antwoord op diezelfde vraag: 'Volgens mij ben ik glashelder, en in elk geval doe ik moeite'. Maar we zeggen allebei 'ik'. Het voornaamwoord 'ik' heeft ook de wonderbaarlijke eigenschap om altijd de persoon aan te duiden die het woordje gebruikt, hoewel de sprekers natuurlijk altijd weer andere mensen zijn.

We hebben dat nog maar net gezegd, of we gaan alweer twijfelen. Klopt deze bijzondere eigenschap ook voor de geestelijk gestoorde mensen die wel schizofreen worden genoemd?

Al ruim 200 jaar geleden is er binnen de psychiatrie (vroeger heette dat zielgeneeskunde) een verschrikkelijke ziekte beschreven. Een ziekte waarbij de patiënt niet meer weet wie hij of zij nu eigenlijk is. Erger nog: als ze denken dat ze iets doen, is het voor hen net alsof er een vreemde persoon in hun plaats handelt. Als ze iets denken, lijkt het voor hen net alsof er iemand anders *voor* hen denkt. De artsen noemen dat gedachte-ingeving; voor de mensen die aan deze ziekte lijden, is het immers net alsof iemand anders gedachten in hun hoofd brengt. Ze zijn eigenlijk niet zichzelf, ze hebben niet een echt 'ik'. Of dat 'ik' is zo vaag geworden, zo onwerkelijk, dat de patiënt het alleen maar *lijkt* te kennen.

De arts Johann Christian Reil heeft ruim 200 jaar geleden (in de periode van de Romantiek) een geesteszieke man beschreven, die kijkt naar zijn spiegelbeeld in het water en die wordt aangesproken door een voorbijganger.

'U bent diep in gedachten, zo te zien!' 'Ik weet het niet,' zei de man heel langzaam, terwijl hij zijn wijsvinger bij zijn neus hield, '*ben ik dat daar in het water,* of ben ik' – en hij wees op zichzelf – '*dat wat hier in het water kijkt?*' 'Wat u daar ziet', antwoordde de voorbijganger, '*schijnt* u te zijn; wat hier zit, dat *bent* u. Toch?' '*Schijnt* u te zijn', zei de man. 'Inderdaad, schijnen. Schijnen, dát is het! Ik schijn mezelf te zijn! *Wat zou je toch graag weten of je wel bestaat*, en *wat je bent!*'

'Als ik u mag vragen,' ging de voorbijganger verder, 'bent u niet meneer Jeweetwel?' 'Oh, zo noemt u mij. Ja, er was een tijd *dat ik bestond*. Een tijd waarin ik veel voelde, wist wie ik was en plezier beleefde... Maar nu', zo besloot hij, 'nu is het voorbij, nu ben ik niet meer dan de schaduw van een droom, verloren in de oneindigheid. *Ik zoek mezelf, maar ik kan mezelf nergens vinden.*'

Arme man! Aan de manier waarop hij praat, zien we dat hij heel wat heeft meegemaakt. En dat hij heel goed ziet dat de voorbijganger hem toch niet begrijpt.

Maar, zo vragen we ons af: *wie* overkomt dit vreselijke leed? Om de pijn van zijn geestelijke verwarring te voelen, moet hij toch een Ik zijn, en dat ook wéten. Je kunt toch niet lijden aan een ziekte in je hoofd die je niet zelf hebt, of die je toeschrijft aan iemand anders en niet aan jezelf. Ook latere psychiaters hebben het verschijnsel schizofrenie op die manier uitgelegd. Een van hen heette Paul Schilder en hij leefde in de eerste helft van de twintigste eeuw. Schilder had het over een 'centrale Ik' die in het centrum, dus in het midden van onze persoonlijkheid staat en die daar blijft staan. Hij zet – een beetje ver gezocht – 'ik' tegenover 'het eigen wezen', dat kan veranderen. Volgens Paul Schilder heeft ook de man of vrouw die aan schizofrenie lijdt, zo'n vaststaande 'kern-ik'.

Bij persoonlijkheidsstoornissen verandert niet de centrale Ik, de eigenlijke Ik; maar de verandering zit 'm in 'het eigen wezen', de persoonlijkheid. En de centrale Ik neemt die veranderingen bij zichzelf waar. We zien hier dus depersonalisatie (dat betekent: verlies van persoonlijkheid, van het eigen wezen), verlies van een aantal opgebouwde vaardigheden. De verandering van 'het eigen wezen' is niet de verandering van een groep geestelijke elementen, ervaringen, emoties, herinneringen en manier van denken (als we die tenminste zo uit elkaar mogen halen); de centrale Ik ervaart de belevingen niet meer zoals vroeger.

Jullie zeggen misschien: Dat is ingewikkelde taal. Jullie zien dus dat zogenaamde natuurwetenschappers zeker niet eenvoudiger spreken dan filosofen, vooral als ze over filosofische zaken spreken, zoals Paul Schilder. Maar de boodschap is duidelijk: bij mensen met een persoonlijkheidsstoornis – dus degenen bij wie het lijkt of niet zij, maar iemand anders denkt en doet – is het wezen verstoord, maar functioneert het Ik normaal. Deze patiënten weten nog steeds, en nog wel heel zeker ook, dat *zij* het zijn die dit vreselijke lijden doormaken, waarbij ze het eigen wezen verliezen of niet meer kunnen herkennen.

Met 'ik' verwijzen we dus, ook in het ergste geval, haarfijn naar de juiste man of vrouw. We kunnen daarbij – zo lijkt het tenminste – niet eens een fout maken.

Maar als we nu met elkaar communiceren door bijvoorbeeld te zeggen 'degene die nu aan het woord is', of via onze naam of een bepaalde omschrijving (bijvoorbeeld: 'de man die op dit moment achter de microfoon een voordracht voor kinderen houdt' of 'het meisje met het lange blonde haar en de zomersproeten, dat op dit moment de collegezaal te laat binnenstapt'), dan kunnen we het – vreemd genoeg – wel eens lelijk mis hebben. Zo zou iemand die sterk op mij lijkt, wel eens naast mij achter de microfoon kunnen kruipen om een geintje met mij uit te halen. Hij heeft kort daarvoor mijn microfoon uitgeschakeld en zegt via een andere microfoon, met ongeveer net zo'n stem, precies dezelfde dingen als ik. In dat geval zou ik misschien zó geconcentreerd zijn op het publiek en op mijn toespraak, dat ik niet eens zou merken dat *ik* de spreker niet ben. En de omschrijving 'de man die op dit moment achter de microfoon een voordracht voor kinderen houdt' waarmee ik mezelf dacht te omschrijven, zou dan niet kloppen. Ook de omschrijving van het meisje kan zomaar in rook opgaan; jonge meisjes (oudere trouwens ook) lijken soms op jongens, en jongens hebben ook wel eens lang haar.

Zelfs als ik zeg 'Doe dat zonnescherm eens naar beneden, ik heb last van de zon', en ik wijs dan op een zonnescherm in de collegezaal, kan ik nog het verkeerde bedoelen. Het licht viel in werkelijkheid misschien bij een ander scherm de zaal binnen dan het scherm dat ik aanwees.

'Maar nu wordt het nóg ingewikkelder', zeggen jullie misschien. Dat vind ik ook. Daarom wil ik jullie graag eerst een paar min of meer ware verhalen vertellen, en dan nog een dierkundig experiment behandelen. Allemaal gemakkelijke zaken. De twee verhalen brengen deze lastige zaak op een aardige manier in beeld, en het experiment bewijst wetenschappelijk dat het allemaal klopt. Daarna wil ik jullie nog drie verhalen vertellen die niet waar zijn en waarbij de plaatjes horen die ik heb beloofd. En aan het eind heb ik dan nog twee verhalen, waarvan ik – eerlijk gezegd – niet zeker weet of ze echt waar zijn of verzonnen.

Het eerste (en ware) verhaal is de Weense professor in de natuurkunde Ernst Mach tegen het einde van de negentiende eeuw overkomen. Hij vertelt het in zijn belangrijkste wetenschappelijk werk met de titel 'Analyse der Empfindungen'. Op een gegeven moment was hij, een beetje moe, op een bus gestapt. Toen hij de trapjes opliep, zag hij aan de andere kant een man in hetzelfde ritme instappen en daarbij schoot een gedachte door zijn hoofd: 'Wat is dat voor een sjofele meneer die daar instapt!'

Met zijn verstrooide hoofd had Mach niet gemerkt dat er tegenover het trapje waarop hij de bus instapte een grote spiegel was opgehangen. Hij zag *zichzelf* dus, maar meende dat er een wat sjofele meneer was ingestapt. En het is toch een heel vervelende gedachte als een met zorg geklede professor met veel aanzien er volgens zichzelf uitziet als een verlopen meneer.

Nóg een aardig (en ook waar) verhaal wordt verteld door de filosoof John Perry, die veel heeft nagedacht over de vraag wat een Ik is. Op een dag duwde hij een winkelwagentje vol met boodschappen door een supermarkt. Plotseling werd zijn aandacht getrokken door een spoor van suiker op de vloer.

Ik duwde mijn wagentje langs een hoog schap door een gang, en aan de andere kant weer terug. Ik wilde de klant met het gescheurde pak suiker zoeken om hem of haar te wijzen op de rommel. Maar bij elke gang rondom het schap werd het suikerspoor breder. En toch leek ik die klant niet te kunnen inhalen. En eindelijk snapte ik het. Ik was *zelf* de klant die ik probeerde in te halen.

Ik wil wedden dat jullie ook wel eens zoiets is overkomen. Maar wat is daar nu zo grappig en verwarrend aan? In het eerste voorbeeld heeft Ernst Mach immers naar zichzelf gekeken, en hij was bij zijn volle bewustzijn, ook al was hij een tikje moe. Ook John Perry – in het tweede voorbeeld – had het duidelijk over zichzelf. Die rommelige klant in de supermarkt, die zo'n bende maakte met het suikerspoor, was hij immers *zelf*. Alleen wist hij dat niet. We zouden kunnen zeggen: Mach en Perry *hadden* zelfbewustzijn (zo noemen we het bewustzijn dat we vanuit onszelf hebben, of – als je wilt – vanuit ons Ik). Maar Mach en Perry hebben niet *geloofd* (dus voor hen was het niet waar) dat zij naar *zichzelf* keken.

Een aanwijzende beschrijving

Hoe is dat nu mogelijk? Heel eenvoudig, eigenlijk. In plaats van direct naar zichzelf te kijken via het voornaamwoord 'ik' of 'mijn', of 'mij', hebben ze er een *aanwijzende beschrijving tussengeschoven*.

De meesten van jullie hebben op school wel geleerd wat een aanwijzend voornaamwoord is. Bijvoorbeeld 'deze' of 'die', of 'die daar'. Een beschrijving geeft in het kort aan wat een persoon is, waaraan je die herkent. Bijvoorbeeld een voetganger, of een sjofele meneer of iemand die suiker uit een pak in zijn winkelwagentje verliest.

☼

Mach gebruikte een aanwijzend voornaamwoord en ook nog een beschrijving toen hij keek naar die sjofele meneer in de spiegel ('dat armoedige type, daar bij de andere ingang') en Perry dacht 'die klant die steeds meer suiker verliest'. En op die manier wisten ze geen van beiden dat ze naar zichzelf keken. Als wij de betreffende persoon (onszelf) correct beschrijven, of naar de juiste persoon (onszelf) verwijzen, is dat nog niet voldoende. Er is méér nodig voor het zelfbewustzijn; wij moeten vreemd genoeg ook nog eens geloven dat *wij zelf* echt degenen zijn over wie we het hebben. En dat heeft alleen maar te maken met het gebruik van het toverwoordje '*ik*'.

Het toverwoordje 'ik'

Een wat oudbakken mopje past hier goed bij. Een politieman op zijn ronde vindt een spiegel en kijkt erin. 'Jongens', zegt hij, 'dat gezicht ken ik! Maar waarvan ook al weer? Het is nu al laat, maar morgen kijk ik meteen in het opsporingsregister.' De politieman neemt de spiegel mee en gaat naar huis. 'Waarom is hij nu alweer zo laat?', denkt zijn vrouw, 'Er is vast iets aan de hand.' Ze gaat zoeken in zijn jaszakken, vindt de spiegel en kijkt erin: 'Ik wist het wel! Een andere vrouw!'

Nog een derde voorbeeld. Een scène uit een film die ik heb gezien toen ik ongeveer zo oud was als jullie nu. De titel van de film weet ik niet meer, maar wél de naam van de komische hoofdrolspeler: Bob Hope.

Het was een woeste piratenfilm met allemaal wilde mannen met baarden. Ze hadden stuk voor stuk degens en pistolen onder hun riem; de degens sloegen kletterend tegen elkaar en de blauwe bonen vlogen door de lucht. Maar zelfs boeven moeten zich wel eens wassen of scheren. Niet elektrisch scheren natuurlijk (want waar zou de stroom vandaan moeten komen op een oud piratenschip?), maar met mesjes van blank staal. En zo scheert Bob Hope zich op zijn gemak voor het omlijste glas van een doorgeefluik, waarvan hij denkt dat het een spiegel is. En daarachter meent hij *zichzelf* te zien; een man, die er net zo uitziet als hij, scheert zich in hetzelfde ritme. Als hij de scheerkwast in het omgeroerde zeepsop stopt, doet zijn spiegelbeeld hetzelfde. En als hij vanaf de bovenkant van zijn rechteroor de stoppels van zijn rechterwang scheert, doet het spiegelbeeld ook braaf hetzelfde. Maar dan … steekt de andere man plotseling zijn tong ver uit. En terwijl Bob Hope nog nagaat of hij z'n tong toevallig ook net heeft uitgestoken, slaat de man in de spiegel hard met zijn vuist door het glas. Hij slaat Bob Hope *knock-out*. Bewusteloos dus. De zogenaamde spiegel was alleen maar het glazen vlak in de lijst, en de man daarachter was niet Bob Hope zelf, maar een precies hetzelfde geklede tegenstander.

Een Amerikaanse filosoof, Sydney Shoemaker, herinnert ons aan een andere filmscène, die hier heel veel op lijkt: Duck Soup (Eendensoep) van de Marx Brothers. Misschien kennen jullie die film wel.

Daarin komt Groucho Marx er langzaam achter dat er in de enorme lijst vóór hem niet een spiegel is gemonteerd, maar dat een dubbelganger al zijn bewegingen precies nadoet. Ook Shoemaker komt tot de conclusie dat we de kennis die we van onszelf *als* onszelf hebben, niet leren uit een voorwerp, of uit een spiegelbeeld. We moeten het van tevoren al goed weten.

En zo heb ik per ongeluk al verraden wat ik jullie wilde vragen, namelijk: wat kunnen we nu leren uit al die voorbeelden? Precies: we leren niet van de spiegel dat we degene zijn die we zijn, als we dat daarvoor al niet wisten. Net zo min als Perry van het suikerspoor leert dat *hij* dat heeft achtergelaten, leert Mach uit de aanblik van een sjofele meneer dat *hij* zo'n type is. Als dat wél het geval was, dan zouden wij leren dat we 'Ikken' zijn, op precies dezelfde manier als we inzien dat er hier in de collegezaal banken staan en luidsprekers zijn opgehangen. Maar vreemd genoeg hebben we daarvoor geen kennis nodig van iets daarbuiten. We weten het gewoon vanuit ons zelfbewustzijn, en dat oefenen we dan weer spelenderwijs door het toverwoordje 'ik' te gebruiken. In een komedie van de Franse toneelschrijver Molière, de Burgeredelman, denkt de verwaande hoofdrolspeler Monsieur Jourdain dat hij proza kan spreken.

Proza, zo noemen we de taal zonder rijm die wij elke dag gewoon, dus niet in dichtvorm, uit onze mond laten komen. Iemand heeft Monsieur Jourdain verteld dat hij proza spreekt als hij geen bijzondere moeite doet en er gewoon maar op los praat. Maar 'proza' is zo'n deftig woord dat de verwaande Monsieur Jourdain denkt dat het hem lukt om, elke keer als hij z'n mond opendoet, heel bijzondere dingen te zeggen, die dichters pas na veel oefening beheersen. De boeken of romans die jullie lezen, zijn meestal gewoon in proza geschreven. En dat is verder niets bijzonders, ook al heeft de schrijver zich daarbij erg ingespannen. En zo lijkt het bij ons ook te gaan als we 'ik' zeggen; we doen dat heel natuurlijk en komen vreemd genoeg altijd trefzeker bij onszelf uit.

En dat werkt niet alleen bij mensen op die manier. Het gaat hier zo te zien om een vaardigheid die ook de hogere diersoorten hebben. En dan vooral de diersoorten die het dichtst bij ons staan, de *mens*apen (een toepasselijke naam). Zoals je ziet op het plaatje (volgende pagina), kijken de hersenloze benzeenring, maar ook de duif en de wilde kat tevergeefs in de spiegel. Er zit een vraagteken in hun hoofd, ze begrijpen er niets van en denken alleen maar: 'Wie is dat nou weer?' Dat ligt anders bij het mensenkind en de chimpansee, die zijn tanden ontbloot en plezier beleeft aan zijn grappige kop in de spiegel.

WIE IS DAT DIE IK DAAR ZIE?

wie?
I
K

Om dat te bewijzen, heeft de dierenpsycholoog Gordon Gallup al tientallen jaren geleden een beroemd experiment uitgevoerd. Hij bracht zijn proefdieren (chimpansees) onder narcose, zodat ze niets merkten van het experiment. Terwijl de dieren bewusteloos waren, bracht hij een rode vlek aan op de rechter wenkbrauw en het linker oor. De dieren zouden de vlekken niet kunnen voelen of ruiken. Nadat de narcose was uitgewerkt, werden er filmopnamen gemaakt van de chimpansees *voor* een spiegel, en *zonder* spiegel. Als er een spiegel stond, raakten de chimpansees trefzeker en zonder enige twijfel de rode vlek op hun wenkbrauw en oor aan. Zodra de spiegel weer was verwijderd, raakten de dieren de vlekken niet vaker aan dan andere gedeelten van hun hoofd.

Chimpansees zien zichzelf als zichzelf

Dierenpsycholoog en -neuroloog Marc D. Hauser heeft deze proeven kritisch onderzocht en is tot de conclusie gekomen dat ze wetenschappelijk genoeg zijn uitgevoerd om ons ervan te overtuigen dat de chimpansees zichzelf *als* zichzelf in de spiegel herkenden, en dat ze hun spiegelbeeld niet met dat van een soortgenoot verwarden. Deze chimpansees hadden het voor hun bewustzijn van zichzelf dus niet nodig om via een spiegelbeeld te ervaren dat *zij* daar te zien waren. Dat wisten ze, net als wij mensen, daarvoor al; de chimpansees herkenden zich in het spiegelbeeld alleen maar *opnieuw*.

☼

De conclusie van Hauser uit de discussies over deze (en andere, meer ingewikkelde en nieuwere) experimenten staat als een huis; hij heeft het over een 'zelfgevoel' (sense of self) bij de chimpansees.

Nu zeggen jullie misschien weer: is dat zelfgevoel van de dieren niet aangeleerd? Doordat er heel vaak spiegels voor de chimpansees zijn geplaatst en de dieren steeds werden beloond als ze de kleurvlek zélf – dus zonder de spiegel – afveegden? Nee hoor, zo kun je het besef van de mensapen niet verklaren. Waarom niet? Nou, omdat de dieren zichzelf meteen herkenden, al bij de *eerste* confrontatie in de spiegel. De proeven hebben aangetoond dat mensapen en kinderen vanaf twee jaar meestal door deze test komen. Voor zover we weten, bestaat er géén andere diersoort die spontaan datzelfde gedrag voor de spiegel vertoont.

Wat leren we nu van dit experiment? Precies: we kennen onszelf *als* onszelf niet doordat we een spiegelbeeld – dat we eigenlijk niet doorzien – als een beeld van onszelf zien. De spiegel is trouwens hoe dan ook een geheimzinnig ding. Er bestaan heel wat sprookjes en verhalen over zijn bedrieglijke geheimen.

Zo kennen we het beroemde verhaal van de romanticus E.T.A. Hoffmann, waarin een tot over zijn oren verliefde man door zijn gemene liefje wordt beroofd van zijn spiegelbeeld. Als hij in de spiegel kijkt, ziet hij van alles, maar niet zichzelf. Een bijzonder vervelende situatie.

Toen jullie nog heel klein waren (jonger dan twee jaar), zagen jullie je spiegelbeeld als het beeld van iemand anders, net zoals de meeste dieren dat doen (een hond voor een spiegel, bijvoorbeeld). Rond die leeftijd hebben jullie ook pas geleerd om 'ik' tegen jezelf te zeggen. En zodra je dat wonderbaarlijke voornaamwoord eenmaal had geleerd, liep alles op rolletjes; vanaf dat moment kon je altijd perfect naar jezelf verwijzen. Herinner je je dat nog? En dát dat echt zo is, dat 'ik' werkelijk een toverwoord is, daarvan geef ik je later nog een goed voorbeeld uit het kinderboek 'De kleine Ik-ben-Ik'.

Maar eerst wil ik je nog de andere beelden laten zien, die ik al eerder noemde. Het gaat nu niet om waar gebeurde, maar om verzonnen verhalen.

Het eerste verhaal gaat over Winnie de Poeh. Ken je het boek over die beer? Het gaat om het deel van het verhaal waarin Poeh en Knorretje op jacht gaan en bijna een woezel vangen.

Het heeft gesneeuwd, en Poeh beer stapt op een morgen door het winterse bos. Hij loopt in gedachten – Poeh denkt altijd wel ergens aan – en loopt in kringetjes rond. Want hij loopt maar wat te dromen. Uiteindelijk blijft hij staan; hij

denkt na over de bijzondere voetsporen die hij in de sneeuw voor zich ziet.

Om de zaak uit te zoeken, loopt hij de sporen achterna en plotseling, bij het begin van zijn rondje, zijn het er twee geworden. Knorretje komt erbij en vraagt: 'Wat ben jij nou aan het doen, Poeh?' En Poeh zegt: 'Ik jaag' Knorretje vraagt: 'Waarop jaag je dan?' En Poeh antwoordt heel geheimzinnig: 'Ik ben iets op het spoor.' 'Wát ben je dan op het spoor?', vraagt Knorretje, en Poeh antwoordt: 'Dat is nou precies wat ik me ook afvraag. De vraag is dus: wát?' En dan vraagt Knorretje:

'En wat denk je dan dat het antwoord gaat worden?' Poeh zegt: 'Ik zal moeten wachten tot ik het heb gevangen.' En dan wijst hij op twee behoorlijk grote voetsporen. Knorretje – die van nature heel bang is schrikt enorm en stottert: 'Oh, Poeh, denk je dat… dat het een woezel is?' Poeh antwoordt: 'Kan best. Soms is het een woezel, en soms ook weer niet. Bij voetsporen weet je het nooit zeker.' Nu is Knorretje pas echt bang. Je weet immers niet of woezels gevaarlijke wezens zijn, die korte metten maken met onschuldige varkentjes. Maar toch volgt Knorretje, trillend en wel, Poeh op zijn jacht naar de woezel.

Een flink poosje later blijft Poeh plotseling staan en zegt: *'Kijk eens!' 'Wat is er?'*, vraagt Knorretje. Van pure schrik springt hij een stukje de lucht in, maar hij doet net of het een vreugdesprongetje is.

Er is een derde, en zelfs nog een vierde dier bijgekomen. Op de grond zijn namelijk *drie* sporen van een woezel te zien, en ook nog een kleiner spoor, zo te zien van een wizzel. Jullie vermoeden (of weten) vast al hoe het verder gaat. Na een tijdje komt het tweetal weer bij het vertrekpunt aan.

Nu zien ze vier sporen van een woezel en twee van een wizzel.

Knorretje krijgt de schrik van zijn leven en verzint een smoes om snel naar huis te gaan. Daar is wel iets te eten, en omdat Poeh rond een uur of 11 altijd graag even een hapje eet, gaat hij mee met Knorretje. Onderweg

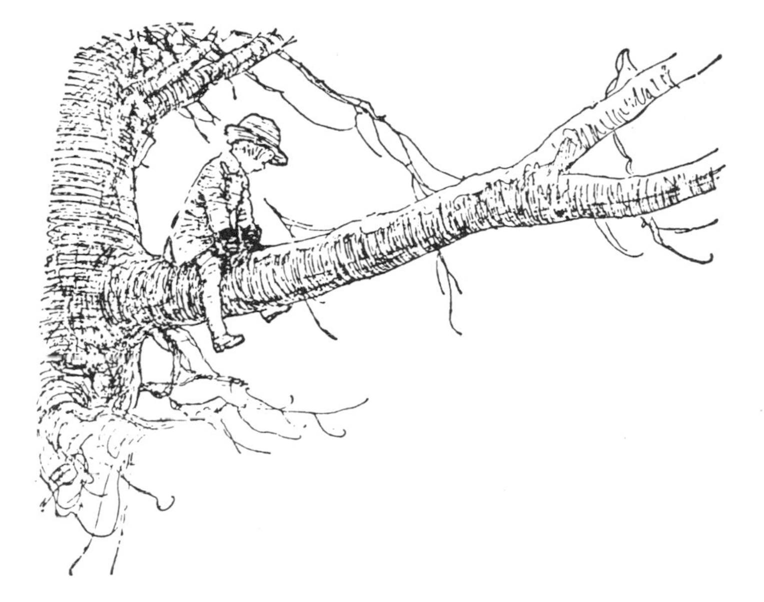

kijkt hij naar boven, en wat ziet hij? Janneman Robinson, die lachend op een dikke boomtak zit.

Knorretje schaamt zich en maakt zich uit de voeten. Janneman Robinson zegt: 'Jij malle ouwe beer, wat ben je nu toch allemaal aan het doen? Eerst ben je tweemaal alleen door het bos gestapt, en daarna is Knorretje met je meegelopen. Toen hebben jullie het rondje nog een keer gelopen, en zo ben jij voor de vierde keer rondgelopen ... 'Wacht eens even', zegt

Winnie de Poeh. Hij gaat liggen en steekt zijn poten omhoog. Hij denkt en hij denkt, hij telt en hij telt nog eens. Dan staat hij op en zegt: 'Ja. Nu snap ik het. Ik zag het allemaal niet, en ben idioot bezig geweest' zegt hij. En dan: 'En ik ben een beer zonder een greintje verstand.' Maar dan zegt Janneman Robinson: 'Jij bent de beste beer van de hele wereld.' 'Echt waar?', vraagt Poeh hoopvol. En dan komt er weer een vrolijke blik in zijn ogen: 'Nou ja', zegt hij, 'het is nu in elk geval hoog tijd voor een lekker hapje.'

Jullie kennen ook vast wel de Frans-Belgische stripboeken *Tintin*. Niet onder die naam misschien, maar bij ons zijn de boeken bekend onder de naam Kuifje (De hond Bobbie – in het Frans heet hij Milou – is de kleine goudblonde foxterriër van de held Kuifje). In de editie *Tintin au pays de l'or noir*

(‘Kuifje en het zwarte goud’) is er oorlog uitgebroken tussen het emiraat Ben Kalish Ezab en het sjeikdom Bab El Ehr. Natuurlijk draait het allemaal om olie, en uiteraard staan er schurkachtige Europese belangen op het spel. En dan hebben we natuurlijk ook nog eens de twee oliedomme detectives Jansen en Janssen (in het originele Franse stripboek heten ze Dupond en Dupont).

Er zit maar één letter verschil in hun namen, dus bij de uitspraak hoor je geen verschil. Ze lijken ook nog eens als twee druppels water op elkaar. In de woestijn zijn ze met een jeep op zoek naar hun vriend Kuifje, die is ontvoerd door de sjeik van Bab El Ehr. Ze rijden steeds in cirkeltjes rond en denken steeds dat ze er bijna zijn. Maar ... ze begrijpen domweg niet dat de vele nieuwe sporen in het zand gewoon van henzelf zijn.

Op een gegeven moment vinden ze een volle jerrycan met benzine in het zand en ze zeggen: ‘Mooi, helemaal vol. Wat een geluk! Tja, de arme kerel die ’m verloren heeft, zit natuurlijk flink in de knoei.’ Ze kijken nog eens naar hun eigen jeep. Daarop ontbreekt precies zo’n jerrycan als ze net hebben gevonden. Dit lijkt erg op het verhaal van John Perry. Toch?

HOE BESTAAT 'T DAT IK DIE DR. MÜLLER HIER WEER TEGEN HET LIJF LOOP?... EN WAAROM HEEFT HIJ DIE PIJPLEIDING LATEN SPRINGEN?... EN WAAROM HEEFT HIJ MIJ GESPAARD, TERWIJL HIJ MET ME KON DOEN WAT HIJ WILDE?... ALLEMAAL VRAGEN WAAR IK NU GEEN ANTWOORD OP WEET...
O! MAAR... ALS IK ME NIET VERGIS... 'NS EVEN VAN DICHTERBIJ BEKIJKEN...
?
JA HOOR, BANDENSPOREN, BOBBIE!... IS DAT EVEN GELUK HEBBEN!
O JA, MISSCHIEN IS 'T WEL EEN BUSLIJN!...
'NS EVEN KIJKEN... 'T LIJKEN WEL SPOREN VAN EEN JEEP...HET ZAND EN DE STEENTJES ZIJN DIE KANT OP GESPAT, DUS DE AUTO REED DE ANDERE KANT OP... VOORUIT, BOBBIE!... DAN GAAN WIJ OOK DIE KANT OP...
... EN DAN HOUDEN WE ONS LATER WEL MET ONZE VRIEND DR. MÜLLER BEZIG.
INTUSSEN
DAT KLOPT NIET, JANSSEN!... WE MOETEN TOCH ÉRGENS UITKOMEN, ANDERS...
GERED, OUWE JONGEN!... KIJK EENS!... BANDENSPOREN...
JE HEBT GELIJK!... EN DITMAAL IS 'T GEEN FATA MORGANA...
WE HOEVEN DIE SPOREN MAAR TE VOLGEN EN KLAAR IS KEES!
EN EEN UUR LATER
KIJK DAAR EENS!... NOG 'N SPOOR... ER IS NOG EEN WAGEN ZO GEREDEN...
GEWELDIG DAT WE DIT SPOOR GEVONDEN HEBBEN!
IK ZOU NOG VERDER WILLEN GAAN: 'T IS GEWOONWEG GEWELDIG!
EEN UUR LATER...
KIJK 'NS... ER IS NOG 'N WAGEN BIJGEKOMEN!... WE ZITTEN OP EEN HELE DRUKKE ROUTE...
EEN PAAR UUR LATER...
ALWEER EEN!... DAT IS DE ZEVENDE AL!...
WE ZITTEN VAST EN ZEKER HEEL DICHT BIJ EEN GROTE STAD EN... STOP!... WAT IS DAT DAAR VOOR ONS?...

EEN JERRYCAN!...
EN NOG VOL OOK!... DAT IS NOG 'NS GELUK HEBBEN!... VOOR ONS TENMINSTE!... NIET VOOR DE ARME STAKKER DIE 'M VERLOREN IS...
IK ZAL TROUWENS EVEN CONTROLEREN OF DIE VAN ONS GOED VAST ZIT; JE WEET MAAR NOOIT!
!
SAKKERLOOT!...
WE ZIJN ONZE JERRYCAN OOK VERLOREN... KIJK, DE RIEM IS GEBROKEN!...
SAKKERLOOT!...
DAN MOET HIJ DUS ACHTER ONS LIGGEN. SCHIET OP; WE MAKEN RECHTSOMKEERT EN GAAN 'M ZOEKEN...
JE HEBT GELIJK; HET IS ZONDE OM HIER BENZINE TE LATEN SLINGEREN...
RIJDEN MAAR!... 'T KAN NIET VER ZIJN.
EVEN LATER...
EEN ECHTE WEG, BOBBIE!...
EN 'N DRUKKE OOK!... KIJK EENS WAT 'N SPOREN... EN DE AFDRUKKEN ZIJN NOG HEEL VERS... O! MAAR... KIJK 'NS, WAT VREEMD... DIE SPOREN ZIJN PRECIES HETZELFDE... EEN COLONNE JEEPS?... TENZIJ...
TENZIJ WAT?
JA, DAAR IS GEEN TWIJFEL OVER MOGELIJK!... EEN EN DEZELFDE WAGEN RIJDT RONDJES OMDAT HIJ ZIJN EIGEN SPOREN VOLGT... DE INZITTENDEN ZIJN DUS NET ALS IK DE WEG KWIJT...
?
O, O! BOBBIE!... DAT IS NOG VEEL ERGER!... EEN ZANDSTORM: DE KHAMSIN!...

Maar nu begint het ons allemaal een beetje te duizelen. Nu moeten we echt eens even stoppen met al dat denken. Door al die verhalen die ik jullie heb verteld, loopt een rode draad. Hebben jullie die draad al gevonden? Precies. Het gaat steeds over personen of dieren (maar misschien zijn sommige dieren ook wel personen ...) die bewust naar zichzelf verwijzen, maar die dat niet in de gaten hebben. Of ze merken het wél, maar pas later, niet meteen. Maar de situatie verandert ingrijpend zodra ze via een voornaamwoord in de eerste persoon naar zichzelf kijken. Dus met 'ik', 'mijn', me' of 'mezelf'. Dat zijn persoonlijke – soms bezittelijke of wederkerende – voornaamwoorden.

We kunnen dit allemaal het beste duidelijk maken aan de hand van het kinderboek *Das kleine ich bin Ich* van Mira Lobe en Susi Weigel. ('De kleine Ik-ben-Ik'). Misschien kennen jullie dat boek. Niet? Geeft niet, met mijn teksten en de plaatjes wordt het allemaal wel duidelijk.

De kleine Ik-ben-Ik is een typisch wezentje. Aan de voorkant ziet het er een beetje uit als een zwijntje, met een warrige bos blauw haar en een lange groene haarband, het middengedeelte heeft iets weg van een dik nijlpaardjong en de achterkant lijkt wel een fazant, of een borstelige pony.

Kortom: Ik-ben-Ik lijkt niet op een echt dier. En zo loopt het wezentje rond in de bonte bloemenwei, en vraagt aan de vlinder, de boomkikker, het paard, de koe, de vissen in de vijver, het nijlpaard, de papegaai en de honden wat het nu eigen lijk is: net zoiets als jullie?

Alle dieren antwoorden: 'Nee, je bent niet zoals ik.'
De boomkikker bijvoorbeeld kwaakt en vraagt:

'Pardon?
Ben jij een dier zonder naam?
Wie niet weet hoe-ie heet,
wie vergeet, hoe-ie heet,
die is gewoon dom.
Basta!'

Het naamloze diertje wordt er heel somber van. Het vraagt zich af, of het misschien helemaal niet bestaat, omdat geen enkele naam klopt.

En het bonte diertje,
dat het allemaal niet meer weet,
begint bijna te huilen.
Maar dan …

Dan blijft het beestje,
midden op straat,
ineens staan en roept
hard tegen zichzelf:
'Natuurlijk ben ik iemand:
IK BEN IK!'

En dat geeft heel veel zelfvertrouwen. Als Ik-ben-Ik door een park loopt, is er een kind dat zeepbellen blaast. En in zo'n bel spiegelt het beestje zich. Eerst denkt het: hé, daar is nog zo'n wezen, net als ik, dus ik ben niet alleen. Maar dan stoot het met zijn neusje tegen de zeepbel. Die spat uit elkaar, en dan is het diertje weer alleen.

Maar wat zegt de kleine Ik-ben-Ik nu? 'Maakt allemaal niet uit!', roept het. 'Het was maar een spiegeldier! Het is weg, en ík ben hier.'

Ik-ben-Ik heeft herkend wat de fysicus Ernst Mach en de filosoof John Perry niet hadden opgemerkt, maar Gallup (met z'n chimpansees) wél: dat je jezelf alleen in de spiegel kunt herkennen als je van tevoren al wist dat je 'Ik' bent (en *wie* je bent).

Het verhaal loopt goed af. De kleine Ik-ben-Ik gaat terug naar alle andere dieren, die het beestje daarvoor hadden verstoten omdat het niet bij hen hoorde. Ook gaat ze als laatste naar de boomkikker. En ze vertelt alle dieren dat ze gewoon zichzelf is, en alle dieren bevestigen dat het klopt.

En zelfs de boomkikker kwaakt: 'Jij bent jíj!
En wie dat niet weet, die is dom!' Basta.

Tot slot

Hebben jullie nog puf om alles even filosofisch op een rijtje te zetten?

Ik moet dan nog even teruggrijpen op een verzonnen verhaal: *Sproet in gevaar* van Paul Maar. Misschien kennen jullie dat. Herr Daume heeft gebruik gemaakt van een aantal blauwe wenssproetjes op het gezicht van Sproet, maar hij weet niet hoe het allemaal werkt. En hij weet vooral niet dat de wensen heel precies moeten worden omschreven. Zo wenst hij van alles, maar geen enkele wens is precies genoeg, dus er gebeuren allerlei ongelukken. En aan het eind, als al zijn wensen mislukken, roept hij vertwijfeld uit: 'Ik wens – niets!' En dan gebeurt het volgende.

Helaas vatte het wenssproetje de wens van Herr Daume heel letterlijk op. Als je de wens hoort, weet je niet of 'niets' echt letterlijk wordt bedoeld of niet. Dus of hij 'gewoon niets' wil, of letterlijk 'helemaal niets'. Herr Daume had zijn wens nog maar net uitgesproken, of alles om hem heen verdween. Hij had immers 'helemaal niets' gewenst. Er was geen links of rechts, geen licht of donker, geen boven of onder, hij stond niet, maar hij lag ook niet, hij zat niet en hij hurkte niet, maar echt zweven deed hij ook niet, om hem heen was helemaal niets; geen voorwerpen, geen geluid. Alleen maar niets. Herr Daume wilde spreken, wilde zijn wens ongedaan maken. Maar spreken ging ook al niet meer. Herr Daume werd bang dat hij er ook niet meer was, dat hij gewoon niet meer bestond. Maar toen zei hij bij zichzelf: als ik bang ben, moet ik er toch zijn, want wie zou er anders bang kunnen zijn? Dat gaf hem troost. Hij probeerde het opnieuw. Nu met denken, niet met spreken. Hij dacht heel intensief na, concentreerde zich op zijn wens en

HERR DAUME WENST 'GEWOON NIETS'

zei tegen zichzelf: 'Ik wens dat ik weer gewoon in mijn kamer ben!'

En hij had dat nog maar net gedacht, of hij hoorde Sproet 'au' zeggen, en was weer in zijn woonkamer.

Een beroemde filosoof die zijn tijd vooruit was, René Descartes, die leefde van 1596 tot 1650, had het probleem van Herr Daume al lang begrepen. Terwijl hij lekker voor het haardvuur zat, vroeg hij zich af hoe hij eigenlijk wist dat zijn overtuigingen waar waren. Onze zintuigen laten ons vaak in de steek. Soms bijvoorbeeld, zagen we iets vanaf een afstand en dachten dat het rond was, en dat bleek dan rechthoekig te zijn. Of we dachten dat de sterren, die meestal stukken groter zijn dan de aarde, maar een paar centimeter groot waren.

's Nachts dromen we, en in onze dromen zien we de vreemdste beelden. Hoe weten we eigenlijk dat ons leven niet één grote droom is, waaruit we nooit wakker worden?

Laten we even uitgaan van het allerergste; er bestaat een almachtige kwade geest, die ons de hele tijd in zijn macht heeft. De dingen die we buiten onszelf waarnemen, bestaan misschien – net als in de droom – helemaal niet echt. Mijn lichaam hoort ook bij de wereld, en misschien verbeeld ik me maar dat ik een lichaam heb. Als wij de rekensom '2 + 2 = 4' maken, zou de kwade geest ons verstand dan niet hebben betoverd, en zou er in werkelijkheid niet 7 in plaats van 4 uit kunnen komen? Zo kunnen we wel doorgaan, en zo wordt het steeds erger. Maar dan stopt Descartes ineens. Als er geen hemel bestaat, geen aarde, geen zintuigen en geen lichaam, en alleen maar een machtige tovenaar die mij bedriegt, zou het dan ook kunnen – zo vraagt Descartes zich af – dat *ik* ook niet besta? (dat is dus dezelfde vraag die Herr Daume stelt.) En zijn antwoord is: Nee, dat is ronduit onmogelijk. Want ...

... zelf wanneer de almachtige bedrieger mij bij de neus neemt, dan staat het toch vast dat ik besta. Want hij kan me bedriegen wat hij maar wil, *hij kan er toch nooit voor zorgen dat ik niets ben, zolang ik denk.* En zo kom ik uiteindelijk, als ik over alles heel goed heb nagedacht, tot de conclusie: ik denk, dus ik besta.

Hoe vaak ik die zin ook uitspreek, of eraan denk, dát is een waarheid waar je niet omheen kunt.

Net zoals de kleine Ik-ben-Ik komt Descartes tot een belangrijk inzicht, dat ook troost biedt: alles om mij heen mag dan onzeker en twijfelachtig zijn, maar één ding staat vast, zo vast als een huis: ik ben ik, en ik ben een denkend wezen. En vanuit die zekerheid kan ik rustig omgaan met de wereld, en met al die andere 'ikken'. Want, zo meende Descartes, op dat heldere baken – ons eigen wezen – kunnen we alle andere gedachten richten. Alle gedachten die wij helemaal en helder begrijpen. En die steeds minder vraagtekens opleveren. Aan het eind blijft dan nog over wat er volgens de natuurwetenschappers waar is.

IK BEN IK, EN BEN EEN DENKEND WEZEN

Maar... dat is een heel andere weg, en die gaan we hier niet bewandelen.

En dan de conclusie

Wat denken jullie: hebben we nu een goed antwoord op de vraag *Waarom ben ik Ik*? Eerlijk gezegd: nee. In het beste geval begrijpen we nu beter *waarom* we zo druk bezig zijn met die waaromvraag, en wat de valkuilen zijn.

Als je de valkuilen kent, laat je je niet meer op het verkeerde been zetten door de taal. Trouwens, wie zou er nu kunnen lachen om onze radeloosheid? Wie weet het juiste antwoord? De natuurkundigen, psychologen, pastoors of dokters? Nee, die zeker niet. De goede God? Zelfs Hij niet. Descartes heeft ons immers zojuist laten zien dat God met ons niet zomaar kan doen wat Hij wil. Zolang wij kunnen denken, kan Hij ons niet van de wijs brengen; wij zijn wezens met een 'ik'. IK is een duidelijk baken, dat licht werpt op alle andere zaken in ons leven. Dat lijkt ook de reden te zijn waarom het kleine wezentje Ik-ben-Ik zo blij is met zijn besef, waarvoor het zoveel moeite heeft moeten doen. Het maakt Ik-ben-Ik niet uit waarom het 'ik' is; het *is* gewoon 'ik'. En datzelfde geluk wens ik alle lezers. Van harte!

Literatuurlijst

Wilhelm Busch, Der Schmetterling, in: Das goldene Eilhelm-Busch-Album, 2e deel: Späße und Weisheiten, Hannover, 19e editie, 1987, 2e deel, 281–302 (het motto: p. 281)

René Descartes, 'Édition Seconde touchant la première philosophie [...]', ibidem Oeuvres et lettres. Teksten geredigeerd door André Bridoux, Parijs 1953, tweede bespiegeling, p. 274 e.v.

Marc D. Hauser, Wild Minds, What Animals Really Think, New York: Henry Holt and Company 2001. An Owl Book, hoofdstuk 5 'Know Thyself', 91–113 (voornamelijk 103 e.v.)

Peter Handke, Wim Wenders, Der Himmel über Berlin. Ein Filmbuch, Frankfurt/M. 1987, p. 14–16

Hergé, Tintin au pays de l'or noir, eerste druk 1950, Brussel 1977, p. 29 e.v. ; Nederlandse titel: Kuifje en het zwarte goud, Casterman 1950/1977 (ISBN 90 3032 506 2)

Ernst Theodor Amadeus Hoffmann, Die Abenteuer der Sylvester-Nacht, in E.T.A. Hoffmann, Fantasie-Stücke in Callot's Manier, Werke 1814, uitgegeven door Hartmut Steinecke, Frankfurt/M. 1993, p. 325–359, daaruit voornamelijk hoofdstuk IV: 'Die Geschichte vom verlornen Spiegelbilde', p. 342 e.v.

Mira Lobe, Das kleine Ich bin Ich, met tekeningen van Susi Weigel, Wenen-München 1972

Immanuel Kant, Kritik der Urteilskraft, in: Manfred Frank en Véronique Zanetti (uitgevers), Kant, Schriften zur Ästhetik und Naturphilosophie, Frankfurt/M. 1996, in parallelle nieuwe druk in 3 banden als zakboekuitgave Frankfurt/M. 2001, § 54 (p. 689 e.v.)

Paul Maar, Eine Woche voller Samstage, Hamburg 1973

Sams in Gefahr, Hamburg 2002, p. 63 e.v.

Ernst Mach, Analyse der Empfindungen, Jena 1886, p. 3

A.A. Milne, Chapter III, 'In Which Pooh and Piglet Go Hunting and Nearly Catch a Woozle', ibidem Winnie-the-Pooh. Met tekeningen van Ernest H. Shepard, eerste druk

1926, New York 1988, p. 34–43; Nederlandse titel: Poeh gaat op bezoek en Poeh en Knorretje gaan op jacht en vangen bijna een Woezel (ISBN 978 90 0002 863 4)
John Perry, 'Das Problem der wesentlichen Indexwörter', 403–424, in: Manfred Frank (uitgever), Analytische Theorien des Selbstbewußtseins, Frankfurt-M. 1994, p. 402; oorspronkelijke titel 'The Problem of the Essential Indexical', in Noûs 13 (1979), p. 67–90, hier p. 67
Johann Christian Reil, Rhapsodien über die Anwendung der psychischen Curmethode auf Geisteszerrüttungen, Halle 1803, p. 70
Paul Schilder, Selbstbewusstsein und Persönlichkeitsbewusstsein. Eine psychopathologische Studie, Berlijn 1914, p. 55
Sydney Shoemaker, 'The Royce Lectures: Self-knowledge and inner sense', ibidem The First-Person Perspective and Other Essays, Cambridge University Press 1966, p. 201–268, hier: p. 211